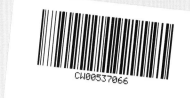

总策划　许琳
总监制　夏建辉　戚德祥
监制　张健　张彤辉　顾蕾　刘根芹

编著　刘富华　王巍　周芳　李冬梅
修订主编　张健
修订副主编　王亚莉
修订成员　徐雁　秦静　王墨妍

中文编辑　王墨妍
英语编辑　孙玉婷
英语审订　余心乐

孔子学院总部/国家汉办
Confucius Institute Headquarters(Hanban)

"十二五"国家重点出版物出版规划项目

CHINESE PARADISE

汉语乐园

英语版

编　　著：刘富华　王　巍　周　芳　李冬梅
修订主编：张　健

第2版 2ND EDITION

课本 3
Textbook

北京语言大学出版社
BEIJING LANGUAGE AND CULTURE
UNIVERSITY PRESS

图书在版编目(CIP) 数据

汉语乐园课本：英语版. 3 / 刘富华等编著. -- 2
版. -- 北京：北京语言大学出版社, 2014.10
ISBN 978-7-5619-3925-3

Ⅰ. ①汉… Ⅱ. ①刘… Ⅲ. ①汉语－对外汉语教学－
教材 Ⅳ. ①H195.4

中国版本图书馆CIP数据核字(2014)第209351号

汉语乐园（第2版）（**英语版**）课本3
HANYU LEYUAN (DI 2 BAN) (YINGYU BAN) KEBEN 3

责任印制：姜正周

出版发行：北京语言大学出版社
社　址：北京市海淀区学院路15号　邮政编码：100083
网　址：www.blcup.com
电　话：编辑部　8610-8230 3647/3592/3395
国内发行　8610-8230 3650/3591/3648
海外发行　8610-8230 0309/3365/3080
读者服务部　8610-8230 3653
网上订购电话　8610-8230 3908
客户服务信箱　service@blcup.com
印　刷：北京画中画印刷有限公司
经　销：全国新华书店

版　次：2014年10月第2版　2014年10月第1次印刷
开　本：889毫米 × 1194毫米　1/16　印张：6.25
字　数：52千字
书　号：ISBN 978-7-5619-3925-3/H·14196
06800

凡有印装质量问题，本社负责调换。电话：8610-82303590
Printed in China

To Our Little Friends

Dear little friends:

Do you know there is a country called China far away in the East? China is not only an ancient country but also a modern one. In China there are fifty-six nationalities living in harmony. And there are also many scenic spots and historical sites, such as the Great Wall and the Terracotta Warriors and Horses as well as modern buildings such as the Bird's Nest and the Water Cube. It is home to pandas. Besides, the famous fairy tale of the Handsome Monkey King, Sun Wukong, was created in China! If you want to know more about China, please come and join us to learn Chinese, an ancient and beautiful language!

The Chinese language has its own characteristics. There are four tones in Chinese, giving the language full rhythm and cadence and it is very pleasing to the ear when spoken. The characters used to record the Chinese language are called Chinese characters, which were like vivid pictures and now are square-shaped in written form.

Chinese Paradise is a key from us for you to open the door to the Chinese language, leading you on a pleasant and exciting journey to the world of Chinese. This series of textbooks not only presents to you brief introductions to the Chinese culture, descriptions of Chinese characters and short stories, but also includes popular children's songs, folk songs, handicrafts and games. We believe that you will enjoy your Chinese learning experience and soon be able to greet Chinese kids in Chinese and also write beautiful Chinese characters!

Now let's open *Chinese Paradise* and begin our journey of Chinese learning together!

The compilers

Ānni
安妮
Nánxī
南希
Míngming
明明

Xiǎolóng
小龙
Fāngfang
方方
Jiékè
杰克

目录 CONTENTS

UNIT 1

SEASONS AND WEATHER

Lesson 1

Chūntiān lái le

春天来了

1. Can you say? 01-1

Chūntiān lái le!
春天来了！
Zhēn nuǎnhuo!
真暖和！

xiàtiān
夏天 summer

qiūtiān
秋天 autumn, fall

dōngtiān
冬天 winter

rè
热 hot

liángkuai
凉快 cool

lěng
冷 cold

春天	chūntiān	spring
了	le	*an aspect particle*
真	zhēn	really
暖和	nuǎnhuo	warm

2. Can you try?

Zhēn lěng!
真冷!

3. Let's talk. 01-2

1

Běijīng de qiūtiān zhēn hǎokàn!
北京的秋天真好看!
Qiūtiān lái le.
秋天来了。

2

Nǐ xǐhuan qiūtiān ma?
你喜欢秋天吗?
Xǐhuan, qiūtiān hěn liángkuai.
喜欢,秋天很凉快。

4. Do you know?

北京
The weather differs so widely in the same season in China!
Which season do you like best?

5. Learn to read. 01-3

An Ancient Poem

Yǒng É
咏 鹅

É, é, é,
鹅， 鹅， 鹅，

qū xiàng xiàng tiān gē.
曲 项 向 天 歌。

Bái máo fú lǜ shuǐ,
白 毛 浮 绿 水，

hóng zhǎng bō qīng bō.
红 掌 拨 清 波。

Hymn to the Goose

Goose, goose, goose,
With upward neck thou to the sky loudly sing.
Thy white feathers float on the water green,
Thy red feet push the crystal waves with a swing.

6. Learn to write.

春

一 二 三 夫 夫

夫 春 春 春

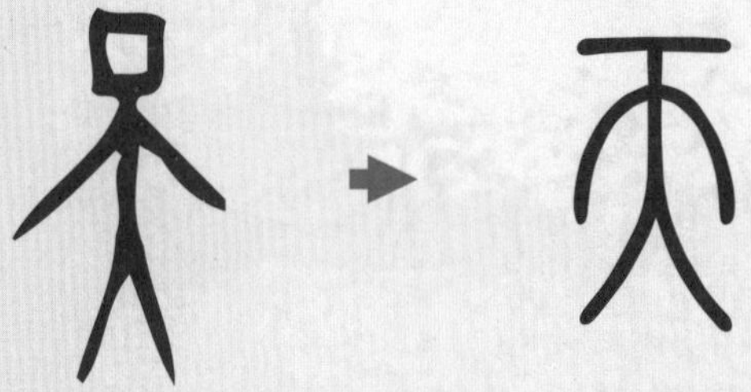

天

一 二 チ 天

7. Let's do it.

Making a Pinwheel

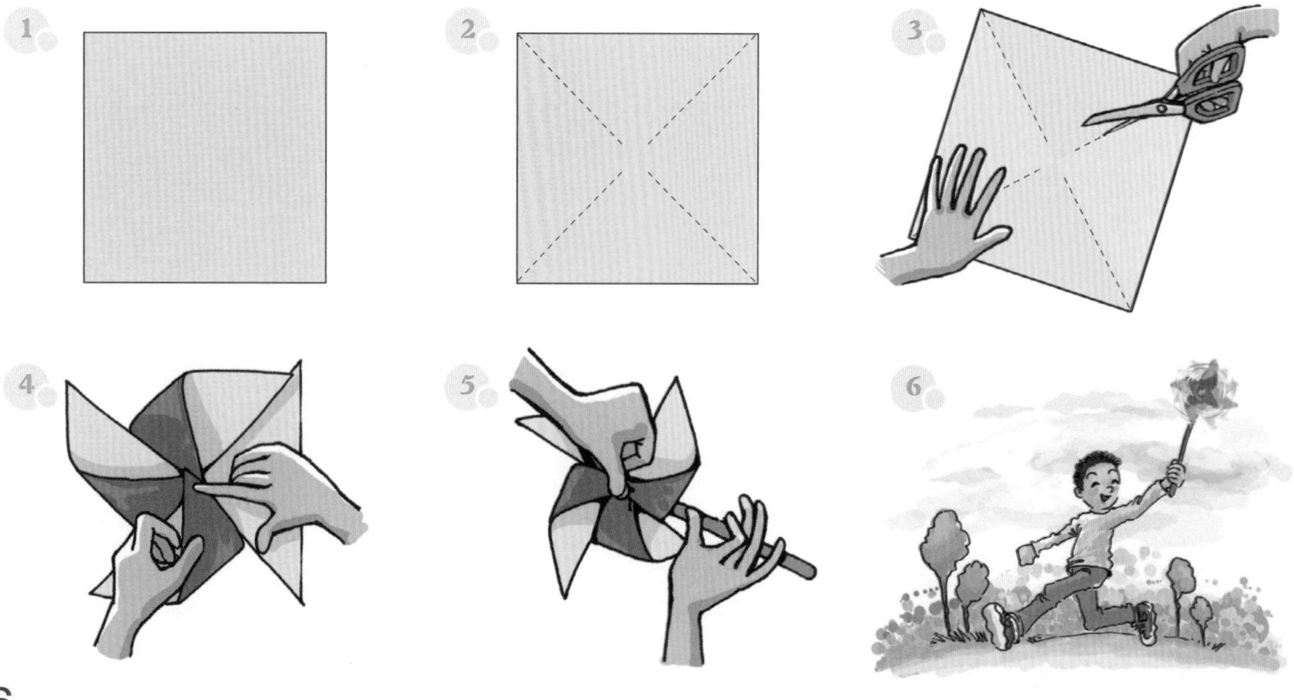

8. Let's sing. 01-4

Chūntiān zài nǎlǐ

春天在哪里

Allegro

Chūn tiān zài nǎ lǐ ya, chūn tiān zài nǎ lǐ? Chūn tiān jiù zài xiǎo péng you de
春天在哪里呀，春天在哪里？春天就在小朋友的
yǎn jing lǐ. Zhè shì hóng de huār ya, zhè shì lǜ de cǎo,
眼睛里。这是红的花儿呀，这是绿的草，
hái yǒu nà huì chàng gēr de xiǎo huáng lí. Lī lī lī lī lī lī lī
还有那会唱歌儿的小黄鹂。哩哩哩哩哩哩哩
lī lī lī lī lī, lī lī lī lī lī lī lī lī lī lī lī lī,
哩哩哩哩哩，哩哩哩哩哩哩哩 哩哩哩哩哩，
hái yǒu nà huì chàng gēr de xiǎo huáng lí, hái yǒu nà huì chàng gēr de
还有那会唱歌儿的小黄鹂，还有那会唱歌儿的
xiǎo huáng lí.
小黄鹂。

Jīntiān tiānqì zěnmeyàng
今天天气怎么样

1. Can you say? 02-1

Jīntiān tiānqì zěnmeyàng?
今天天气怎么样?
Jīntiān xià yǔ le.
今天下雨了。
Jīntiān qíngtiān.
今天晴天。

xià xuě
下雪 to snow

guā fēng
刮风 to be windy

yīntiān
阴天 to be cloudy

天气	tiānqì	weather
怎么样	zěnmeyàng	how
下雨	xià yǔ	to rain
晴天	qíngtiān	sunny day

2. Can you try?

3. Let's talk.

02-2

Jīntiān xīngqī jǐ ?
今天星期几？
Jīntiān xīngqī'èr .
今天星期二。
1
Jīntiān tiānqì zěnmeyàng ?
今天天气怎么样？
Jīntiān xià xuě le, hěn lěng .
今天下雪了，很冷。
2
Míngtiān tiānqì zěnmeyàng ?
明天天气怎么样？
Míngtiān qíngtiān .
明天晴天。
3

4. Do you know?

Do you know what materials kites are made of? What does your kite look like?
The kite was first invented by the Chinese. Look! Here is the annual Kite Festival!

5. Learn to read. 02-3

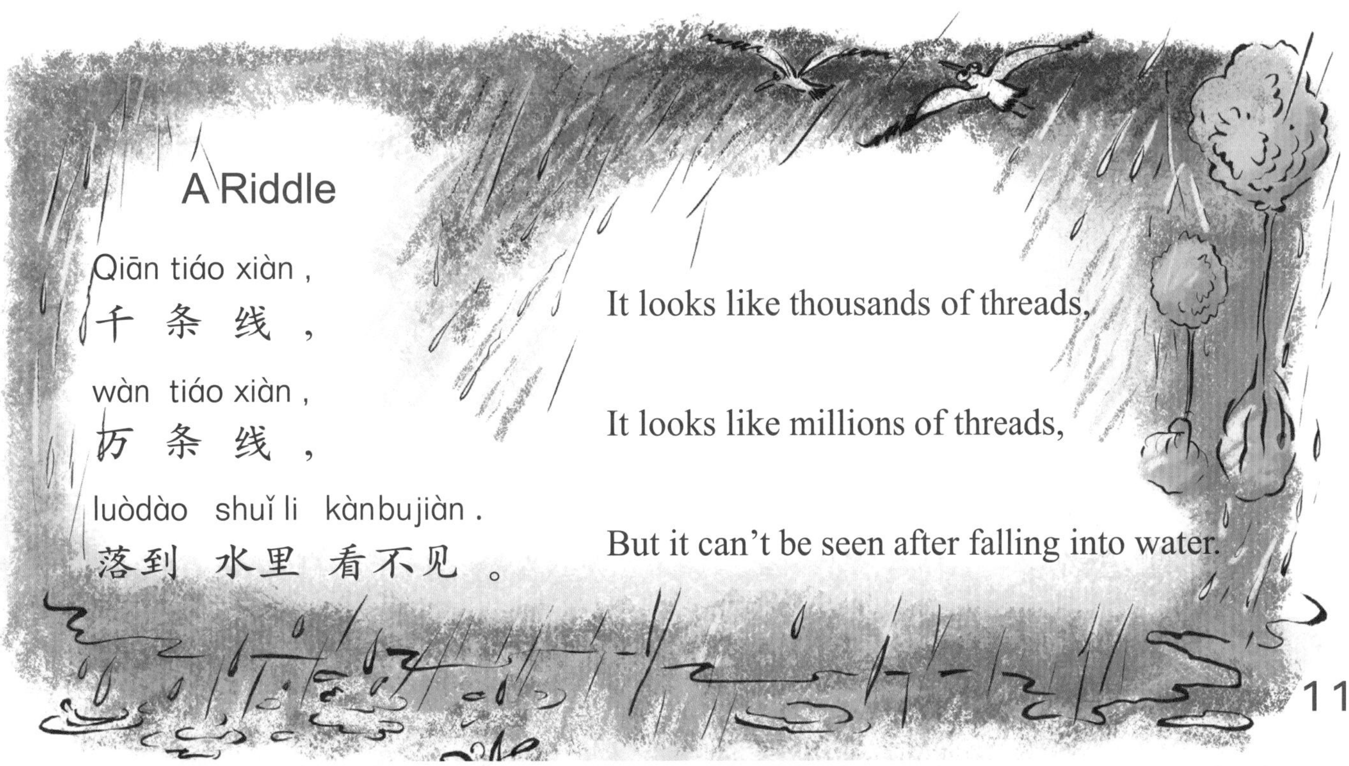

A Riddle

Qiān tiáo xiàn,
千 条 线，

wàn tiáo xiàn,
万 条 线，

luòdào shuǐ li kànbujiàn.
落到 水里 看不见。

It looks like thousands of threads,

It looks like millions of threads,

But it can’t be seen after falling into water.

6. Learn to write.

7. Let's do it.

Flying a Kite

8. Story time. 02-4

1. What have you learned in this unit? Think about it. (You can use pinyin.)

The Most Useful Sentences:

The Most Important Words:

Else:

2. Draw the things you have learned about China in this unit.

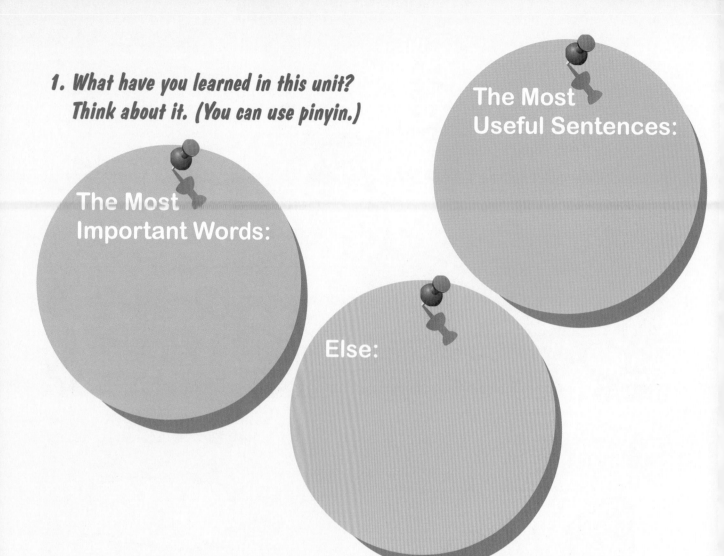

UNIT 2

SPORTS AND HOBBIES

Lesson 3

Nǐ huì yóu yǒng ma
你会游泳吗

1. Can you say? 03-1

dǎ pīngpāngqiú
打乒乓球
to play ping-pong

dǎ lánqiú
打篮球
to play basketball

dǎ wǎngqiú
打网球
to play tennis

dǎ bàngqiú
打棒球
to play baseball

huá bīng
滑冰
to skate

会	huì	can
游泳	yóu yǒng	to swim
打	dǎ	to play

2. Can you try?

游泳
打乒乓球
打棒球
Shéi huì dǎ bàngqiú?
谁会打棒球?
Nǐmen huì dǎ bàngqiú ma?
你们会打棒球吗?
Wǒmen huì.
我们会。

3. Let's talk. 03-2

1
Nǐ hǎo!
你好！
Nǐmen hǎo!
你们 好！
Nǐmen qù nǎr?
你们 去 哪儿？
2
Wǒmen qù dǎ wǎngqiú,
我们 去 打 网球，
nǐ qù ma?
你去吗？
3
Bú qù, wǒ bú huì dǎ wǎngqiú.
不 去，我不会打网球。
Wǒ huì dǎ pīngpāngqiú.
我会打 乒乓球。

4. Do you know?

What sports do people like in your country?
Practicing *taijiquan* is a good way to keep fit.

5. Learn to read. 03-3

Two Proverbs

Zhòng guā dé guā, zhòng dòu dé dòu.
1 种瓜得瓜，种豆得豆。
You reap what you sow.

Yì yán jì chū, sìmǎ nán zhuī.
2 一言既出，驷马难追。
A promise cannot be taken back once it is made.

6. Learn to write.

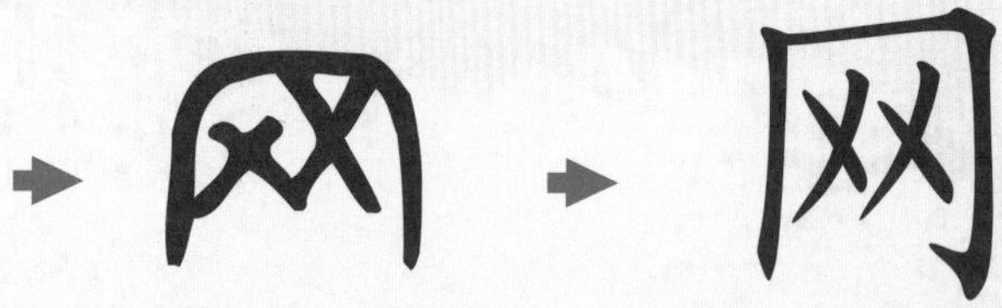

丨 冂 冂 冈 网 网

球

一 二 干 王 王一 玎

玗 玗 球 球 球

7. Let's do it.

A Ping-Pong Match

1

2

3

4

8. Let's sing. 03-4

Yángwáwa hé xiǎoxióng tiào wǔ

洋娃娃和小熊跳舞

Lesson 4

Wǒ xǐhuan chàng gēr

我喜欢 唱歌儿

1. Can you say? 04-1

Wǒ xǐhuan chàng gēr, nǐ ne?
我喜欢唱歌儿，你呢？
Wǒ xǐhuan tiào wǔ.
我喜欢跳舞。

huà huàr
画画儿 to draw, to paint

kàn diànyǐng
看电影 to see a movie

tīng yīnyuè
听音乐
to listen to the music

dǎ yóuxì
打游戏 to play a (video) game

唱歌儿	chàng gēr	to sing
呢	ne	*a modal particle*
跳舞	tiào wǔ	to dance

2. Can you try?

3. Let's talk. 04-2

1
Nǐ yǒu shénme àihào?
你有什么爱好?
Wǒ xǐhuan huà huàr, nǐ ne?
我喜欢画画儿,你呢?

2
Wǒ xǐhuan dǎ yóuxì.
我喜欢打游戏。

Jiékè ne?
杰克呢?
Wǒ xǐhuan huá bīng.
我喜欢滑冰。
3

4. Do you know?

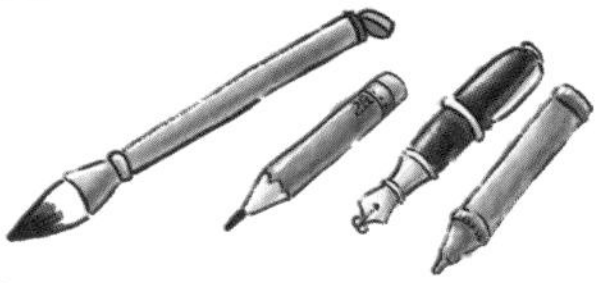

What kind of tool is used to make the following pictures?

5. Learn to read.

04-3

A Tongue Twister

Qīng sōng dǐng， tíng qīngtíng .
青 松 顶 ， 停 蜻蜓 。

Qīngtíngtíng， qīngtíng jìng .
蜻蜓 停 ， 蜻蜓 静 。

Qīngtíng jìng tíng qīng sōng dǐng .
蜻蜓 静 停 青 松 顶 。

On top of the green pine, rests a dragonfly.

The dragonfly is resting, motionlessly.

The dragonfly is resting motionlessly on top of the green pine.

6. Learn to write.

7. Let's do it.

Simple Traditional Chinese Painting: Painting a Swallow

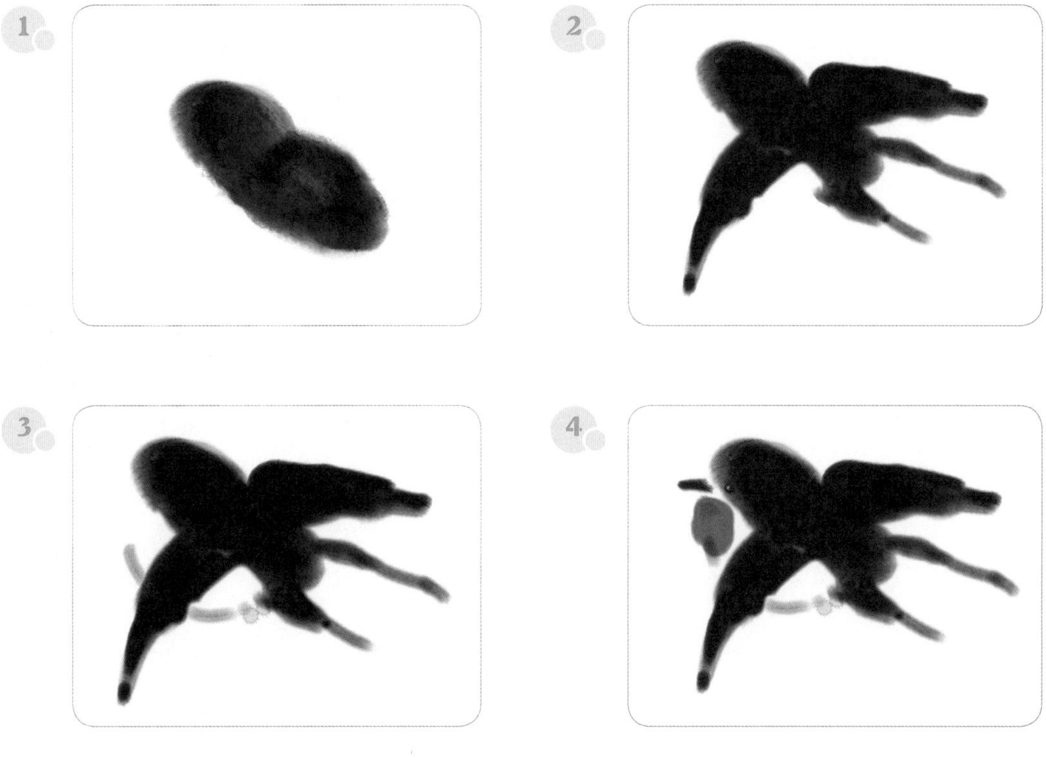

8. Story time. 04-4

Nǐmen yǒu shénme àihào?
你们有什么爱好？
1
Wǒ xǐhuan chàng gēr.
我喜欢唱歌儿。
Zhēn hǎotīng!
真好听！
2
Wǒ xǐhuan huà huàr!
我喜欢画画儿！
3
Wǒ huì yóu yǒng.
我会游泳。
Wǒ huì dǎ bàngqiú.
我会打棒球。
4
Xiǎoxióng, nǐ ne?
小熊，你呢？
Wǒ……
我……
5
Tā xǐhuan shuì jiào!
他喜欢睡觉！
6

1. What have you learned in this unit?
Think about it. (You can use pinyin.)

The Most Useful Sentences:

The Most Important Words:

Else:

2. Draw the things you have learned about China in this unit.

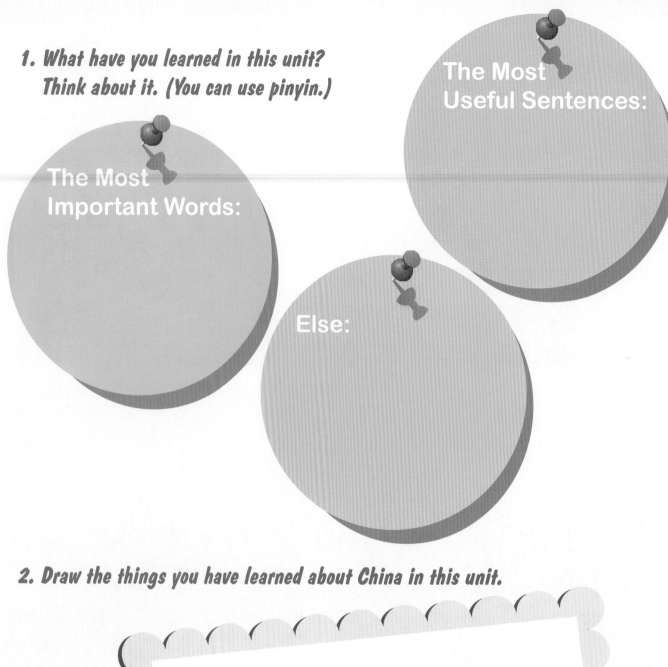

UNIT 3

SHOPPING

Lesson 5

Wǒ yào mǎi qiǎokèlì
我要买巧克力

1. Can you say? 05-1

Nǐ yào mǎi shénme?
你要买什么？
Wǒ yào mǎi qiǎokèlì hé bǐnggān.
我要买巧克力和饼干。

bīngqílín
冰淇淋 ice cream

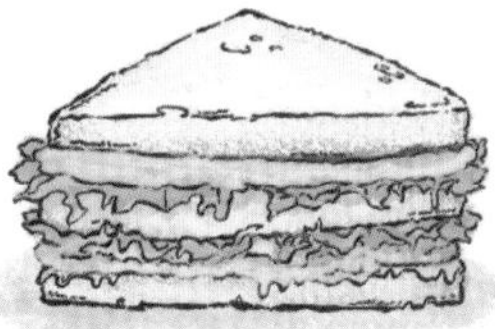

sānmíngzhì
三明治 sandwich

hànbǎobāo
汉堡包 hamburger

薯片

shǔpiànr
薯片儿 chips

táng
糖 candy

要	yào	to want
买	mǎi	to buy
巧克力	qiǎokèlì	chocolate
和	hé	and
饼干	bǐnggān	cookie

2. Can you try?

Nǐ yào mǎi shénme, Fāngfang?
你要买什么，方方？

3. Let's talk. 05-2

1
Nǐ qù nǎr, Ānni?
你去哪儿，安妮？
Wǒ qù chāoshì.
我去超市。
2
Wǒ qù shāngdiàn.
我去商店。
Nǐ yào mǎi shénme?
你要买什么？
Wǒ yào mǎi hànbǎobāo. Nǐ ne?
我要买汉堡包。你呢？
3
Wǒ yào mǎi shūbāo hé bǐ.
我要买书包和笔。
Zàijiàn.
再见。

4. Do you know?

Western Fast Food in China

What are the distinctive features of McDonald's and KFC in China?
麦当劳
甜品站

5. Learn to read. 05-3

A Riddle

Má wūzi,
麻屋子，

hóng zhàngzi,
红 帐子 ，

lǐmian zhùzhe bái pàngzi.
里面 住着 白 胖子 。

A house with a rough surface,

A curtain in red,

Under them live white and chubby babies.

6. Learn to write.

买

和

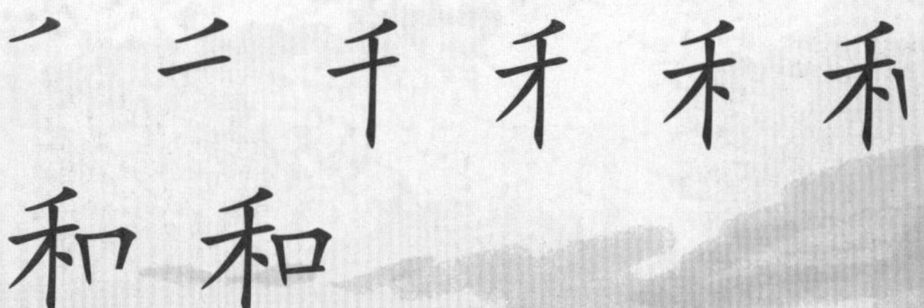

7. Let's do it.

Chopstick Game: Picking up Peanuts

8. Let's sing.
05-4
Mài bào gē
卖报歌
Lā lā lā, lā lā lā, wǒ shì mài bào de
啦啦啦，啦啦啦，我是卖报的
xiǎo háng jiā. Qīng chén qǐ lái jiù mài bào,
小行家。清晨起来 就卖报，
yí fèn bào, liǎng fèn bào, jīn tiān de
一份报，两份报，今天的
xīn wén zhēn zhèng hǎo,
新闻真正好，
yí ge tóng bǎn jiù mǎi liǎng fèn
一个铜板就买两份
bào.
报。

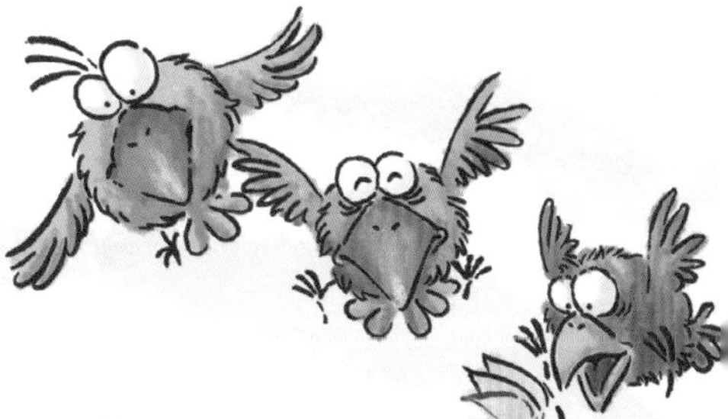

Yì jīn píngguǒ duōshao qián
一斤苹果多少钱

1. Can you say? 06-1

新鲜水果

Yì jīn píngguǒ duōshao qián?
一斤 苹果 多少 钱?

Wǔ yuán.
五元。

lí	xīguā	xiāngjiāo	bōluó	cǎoméi
梨 pear	西瓜 watermelon	香蕉 banana	菠萝 pineapple	草莓 strawberry
¥4.00	¥2.00	¥5.00	¥3.00	¥10.00
sì yuán 四元	liǎng yuán 两元	wǔ yuán 五元	sān yuán 三元	shí yuán 十元

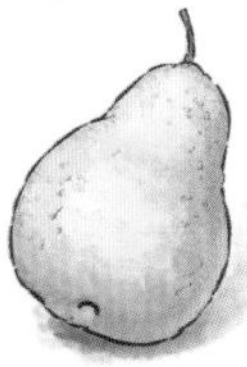

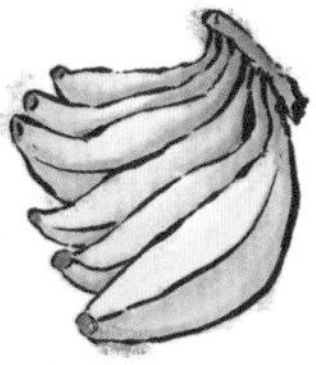

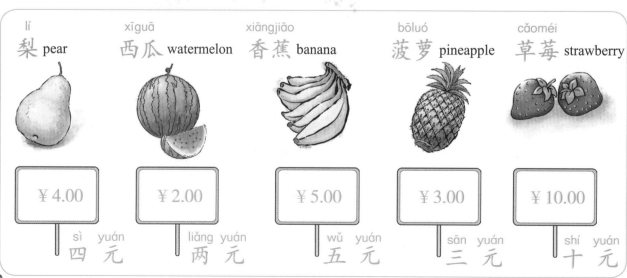

斤	jīn	*unit of weight* (1 *jin* = 0.5 kilogram)
苹果	píngguǒ	apple
多少	duōshao	how much
钱	qián	money
元	yuán	*unit of money*

2. Can you try?

Yì jīn cǎoméi duōshao qián?
一斤草莓多少钱?
Shí yuán.
十元。
Yì jīn xiāngjiāo duōshao qián?
一斤香蕉多少钱?
Wǔ yuán.
五元。
Yì jīn cǎoméi hé sān jīn xiāngjiāo duōshao qián?
一斤草莓和三斤香蕉多少钱?
……?

3. Let's talk. 06-2

1
Nǐ hǎo! Nǐ yào mǎi shénme?
你好！你要买什么？
Wǒ yào mǎi píngguǒ hé lí.
我要买苹果和梨。
2
Yì jīn píngguǒ duōshao qián?
一斤苹果多少钱？
Wǔ yuán.
五元。
3
Yì jīn lí duōshao qián?
一斤梨多少钱？
Sì yuán.
四元。
4
Wǒ yào mǎi yì jīn píngguǒ hé yì jīn lí.
我要买一斤苹果和一斤梨。
Jiǔ yuán.
九元。

4. Do you know?

Please guess what advantages an abacus has compared with an electronic calculator.
This is an ancient calculator, an abacus.
What is this?
123
=

5. Learn to read.

06-3

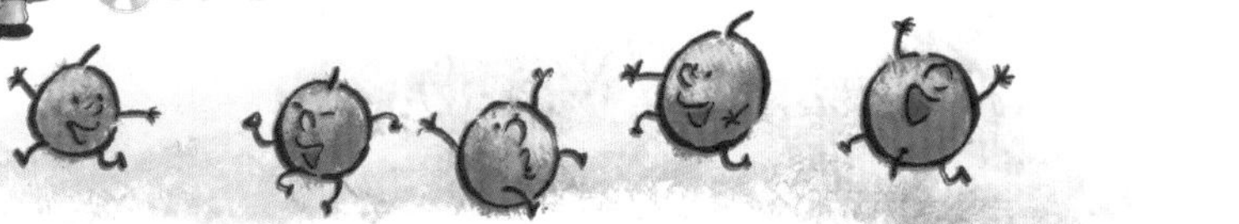

A Tongue Twister

Chī pútao bù tǔ pútao pír,
吃 葡萄 不 吐 葡萄 皮儿，

Eating grapes without spitting peels,

bù chī pútao dào tǔ pútao pír.
不 吃 葡萄 倒 吐 葡萄 皮儿。

While spitting peels without eating grapes.

6. Learn to write.

苹 一 十 艹 艹 艹 艹 苹 苹

 →  → 果

丨 冂 冃 日 旦 甲 果 果

7. Let's do it.

Game: Passing on Messages

1

2

3

4

8. Story time.

Yí ge xīguā duōshao qián?
一个西瓜多少钱?
Èrshí.
二十。

Wǒ mǎi yí ge xīguā.
我买一个西瓜。

Wǒ mǎi yí ge píngguǒ.
我买一个苹果。

Wǒ mǎi yí ge xiāngjiāo.
我买一个香蕉。

Gěi nǐ xiāngjiāo.
给你香蕉。

Yí? Shuǐguǒ ne?
咦?水果呢?

1. *What have you learned in this unit? Think about it. (You can use pinyin.)*

The Most Useful Sentences:

The Most Important Words:

Else:

2. *Draw the things you have learned about China in this unit.*

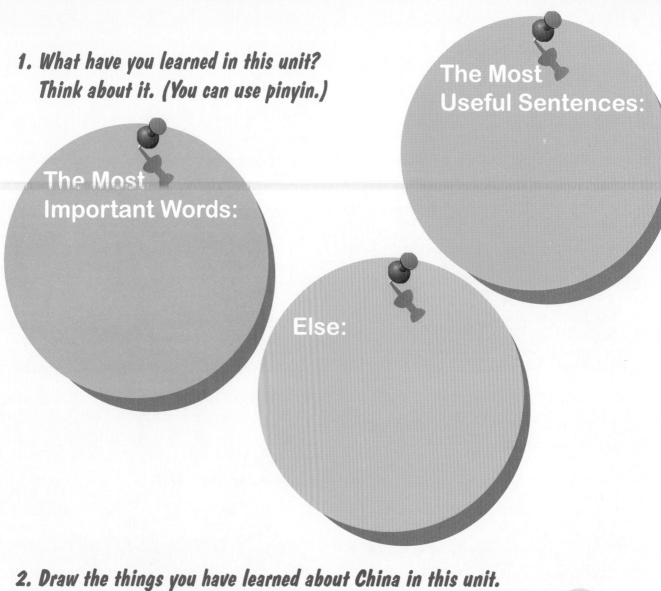

UNIT 4

DAILY LIFE

Lesson 7

Wǒ jīntiān yǒu Hànyǔ kè

我今天有汉语课

1. Can you say? 07-1

Nǐmen jīntiān yǒu shénme kè?
你们今天有什么课?
课程表
数学
英语
汉语
历史
Wǒ jīntiān méiyǒu kè.
我今天没有课。
Wǒ jīntiān yǒu Hànyǔ kè.
我今天有汉语课。

shùxué
数学 math

lìshǐ
历史 history

Yīngyǔ
英语 English

tǐyù
体育 P.E.

kēxué
科学 science

dìlǐ
地理 geography

课	kè	lesson, class
汉语	Hànyǔ	Chinese (language)
没有	méiyǒu	to not have

2. Can you try?

3. Let's talk. 07-2

Nǐ jīntiān yǒu tǐyù kè ma?
你今天有体育课吗？
Méiyǒu.
没有。
Nǐ jīntiān yǒu shénme kè?
你今天有什么课？
Wǒ jīntiān yǒu Hànyǔ kè、lìshǐ kè hé yīnyuè kè.
我今天有汉语课、历史课和音乐课。
Nǐ míngtiān yǒu shénme kè?
你明天有什么课？
Míngtiān xīngqīliù, méiyǒu kè.
明天星期六，没有课。

4. Do you know?

What are the differences between their class schedule and yours?

Class Schedule

Class One, Grade Five

	Mon.	Tues.	Wed.	Thur.	Fri.
1	Math	English	Chinese	Math	English
2	Chinese	Math	Math	Chinese	Math
3	English	Chinese	Science	English	Chinese
4	Ethics and Life	Art	English	Music	Science
5	Science	P.E.		Ethics and Life	P.E.
6	Music	Math	Activity	Art	Music
7	Chinese			English	

5. Learn to read.

07-3

A Proverb

Zhǐyào gōngfu shēn ,
只要 功夫 深，

tiě chǔ móchéng zhēn .
铁 杵 磨成 针。

If you put in a lot of effort, you can grind an iron rod into a needle.

6. Learn to write.

体 丿 亻 仁 什 休 休 体

育 丶 亠 亡 云 产 育 育 育

7. Let's do it.

Making a Three-Dimensional Class Schedule

1

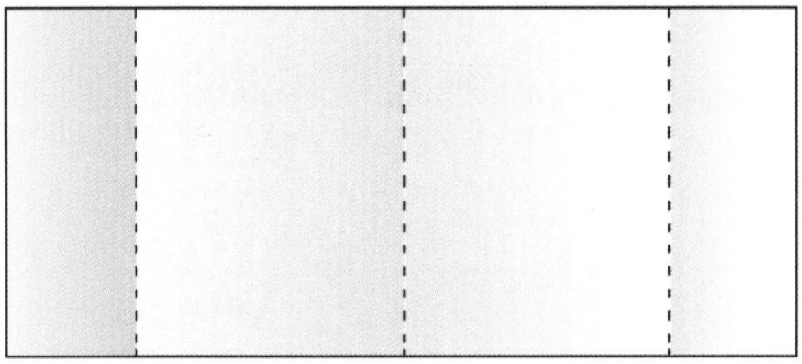

2

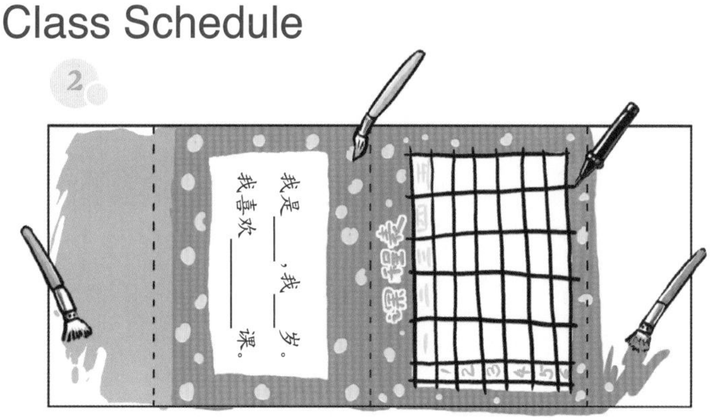

3

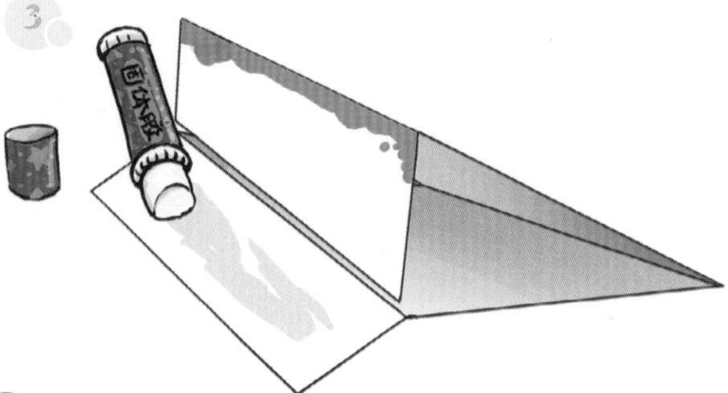

4

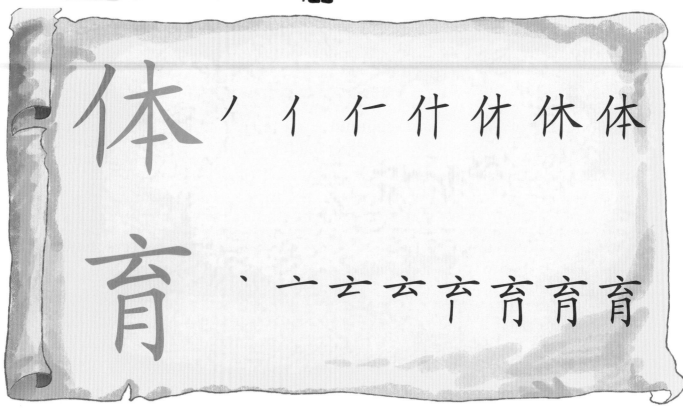

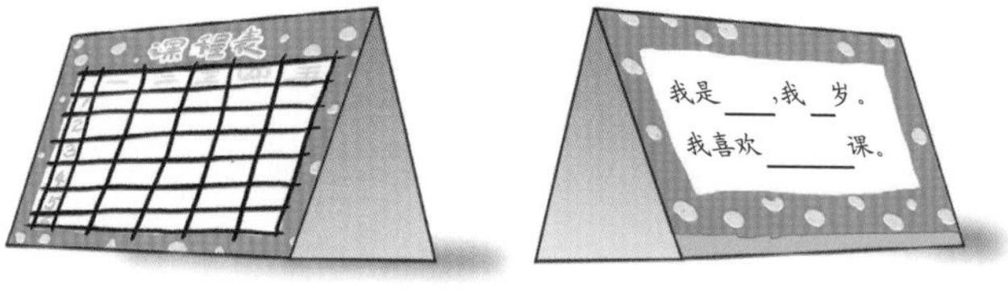

8. Let's sing. 07-4

Niú'ér duō
牛儿多

Allegro
Niú ér niú ér duō,
牛儿牛儿多，
niú ér mǎn shān pō.
牛儿满山坡。
Niú ér chī qīng cǎo,
牛儿吃青草，
niú ér tīng mù gē.
牛儿听牧歌。

Lesson 8

Wǒ zài dǎ diànhuà

我在打电话

1. Can you say? 08-1

Nǐ zài zuò shénme?
你在做什么？
Wǒ zài dǎ diànhuà.
我在打电话。
Māma zài zuò shénme?
妈妈在做什么？
Māma zài chī fàn.
妈妈在吃饭。

kàn bàozhǐ
看报纸
to read a newspaper

shuì jiào
睡觉
to sleep

xǐ zǎo
洗澡
to take a bath/shower

xiě zuòyè
写作业
to do homework

shàng wǎng
上网
to surf the Internet

在	zài	in the process (of doing something)
做	zuò	to do
打电话	dǎ diànhuà	to make a phone call
吃饭	chī fàn	to eat a meal

2. Can you try?

Bàba zài zuò shénme?
爸爸在做什么？
kàn diànshì
看电视
Bàba zài kàn diànshì.
爸爸在看电视。

3. Let's talk. 08-2

4. Do you know?

Life of Chinese Pupils after Class

What do children usually do after class in your country? What activity do you like most?

How rich and colorful the life of Chinese children is after class!

5. Learn to read.

08-3

An Ancient Poem

Jìng yè sī
静夜思

Reflections on a Quiet Night

Chuáng qián míng yuè guāng, 床前明月光，	Before my bed a pool of light,
yí shì dì shang shuāng. 疑是地上霜。	Can it be hoarfrost on the ground?
Jǔ tóu wàng míng yuè, 举头望明月，	Eyes raised, I see the moon so bright;
dī tóu sī gù xiāng. 低头思故乡。	Head bent, in homesickness I'm drowned.

6. Learn to write.

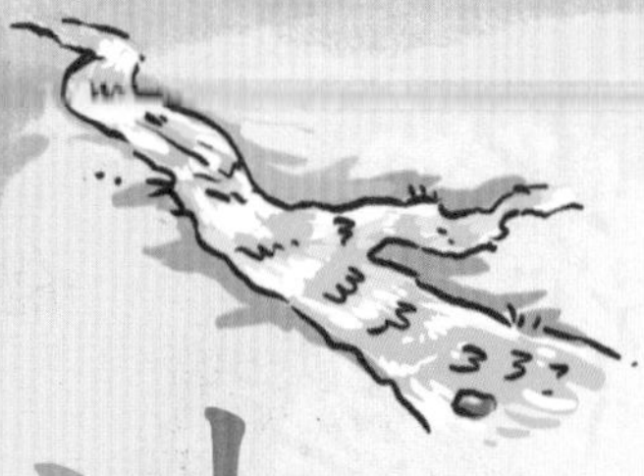

洗
澡

7. Let's do it.

Learn an Idiom and Perform a Play: The Fox Assuming the Majesty of the Tiger

8. Story time.

08-4

Zěnme bàn?
怎么办?
Nǐ hǎo! Wǒ shì xiǎotù de lǎoshī, míngtiān yǒu shùxué kǎo shì.
你好！我是小兔的老师，明天有数学考试。
Xièxie lǎoshī.
谢谢老师。
Míngtiān yǒu kǎo shì, huí jiā!
明天有考试，回家！
Jīntiān kǎo shì.
今天考试。

1. What have you learned in this unit? Think about it. (You can use pinyin.)

The Most Useful Sentences:

The Most Important Words:

Else:

2. Draw the things you have learned about China in this unit.

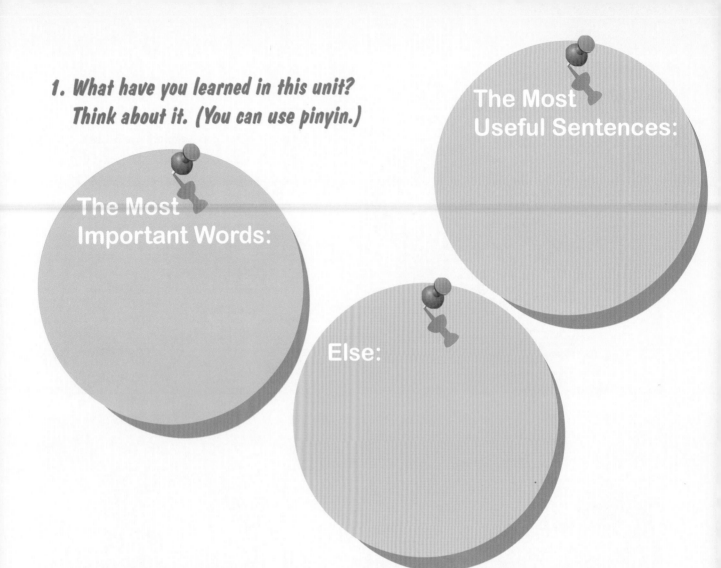

UNIT 5

TRAFFIC AND TRAVEL

Shūdiàn zěnme zǒu
书店怎么走

1. Can you say? 09-1

gōngyuán
公园
park

xuéxiào
学校
school

chēzhàn
车站
stop, station

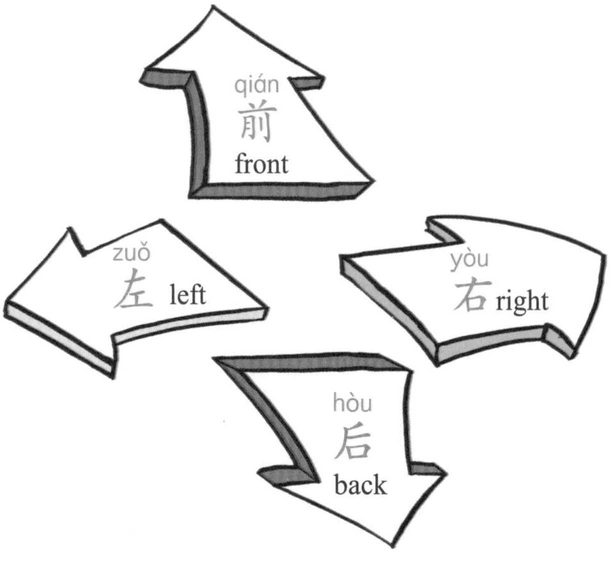

请问	qǐngwèn	excuse me, may I ask…
书店	shūdiàn	bookstore
怎么	zěnme	how
走	zǒu	to walk
往	wǎng	toward, to

2. Can you try?

Qǐngwèn, yóujú zěnme zǒu?
请问，邮局怎么走？
Wǎng qián zǒu.
往前走。
邮局
书店
超市
学校
前
后
左
右

3. Let's talk. 09-2

1
红灯停
绿灯行
Kàn! "Hóng dēng tíng, lǜ dēng xíng."
看!"红灯停，绿灯行。"
Qǐngwèn, chēzhàn zěnme zǒu?
请问，车站怎么走?
2
Wǎng yòu zǒu.
往右走。
3
Xièxie!
谢谢!

4. Do you know?

Do you know what traffic tools there are in Beijing?
So many cars in Beijing!

5. Learn to read.

09-3

A Tongue Twister

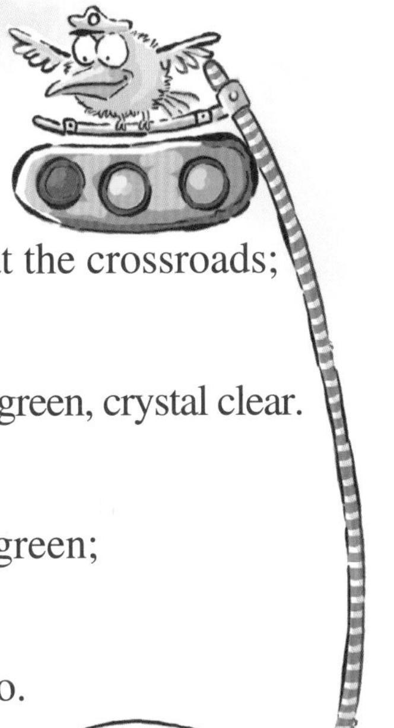

Shízì lùkǒu zhǐshì dēng, 十字 路口 指示 灯，	There are traffic lights at the crossroads;
hóng huáng lǜ sè fēn de qīng. 红 黄 绿 色 分 得 清。	They are red, yellow and green, crystal clear.
Lǜ hóng, hóng lǜ, 绿 红， 红 绿，	Green and red, red and green;
xíng tíng, tíng xíng kàn dēng míng. 行 停， 停 行 看 灯 明。	Go and stop, stop and go.

6. Learn to write.

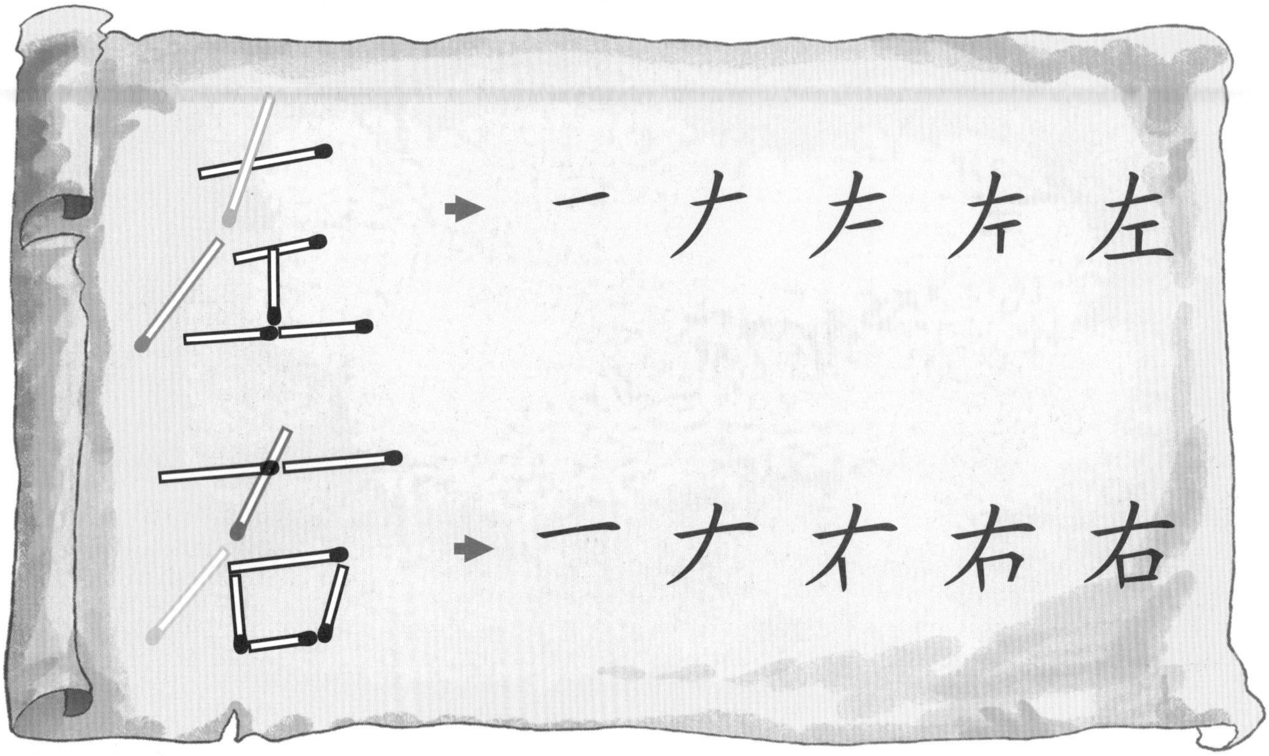

7. Let's do it.

Game: Stop when the red light is on, and move when the green light is on!

8. Let's sing. 09-4

Qù lǚxíng

去旅行

Allegretto

Hóng dēng tíng, lǜ dēng xíng. Kāi qì chē,
红灯停，绿灯行。开汽车，
qù lǚ xíng. Zuò lún chuán, zuò fēi jī,
去旅行。坐轮船，坐飞机，
qù Shàng hǎi, qù Běi jīng. Xiàng zuǒ
去上海，去北京。向左
zǒu, xiàng yòu zǒu,
走，向右走，
nǎ lǐ dōu yǒu hǎo péng
哪里都有好朋
you. "Qǐng wèn" "xiè xie nǐ"
友。"请问""谢谢你"
"bú kè qi", nǎ lǐ
"不客气"，哪里
dōu yǒu hǎo péng you.
都有好朋友。

Wǒmen zuò fēijī qù lǚxíng
我们坐飞机去旅行

1. Can you say? 10-1

Wǒmen zuò fēijī qù lǚxíng.
我们坐飞机去旅行。

Xī'ān
西安

Běijīng
北京

Xiānggǎng
香港

Shànghǎi
上海

Táiběi
台北

zuò lúnchuán
坐轮船
(to travel) by ship

zuò huǒchē
坐火车
(to travel) by train

zuò qìchē
坐汽车
(to travel) by bus/car

qí zìxíngchē
骑自行车
to ride a bike

坐	zuò	to take, to sit
飞机	fēijī	plane
旅行	lǚxíng	to travel
骑	qí	to ride

2. Can you try?

Zuò lúnchuán qù Xiānggǎng.
坐 轮船去香港。

3. Let's talk. 10-2

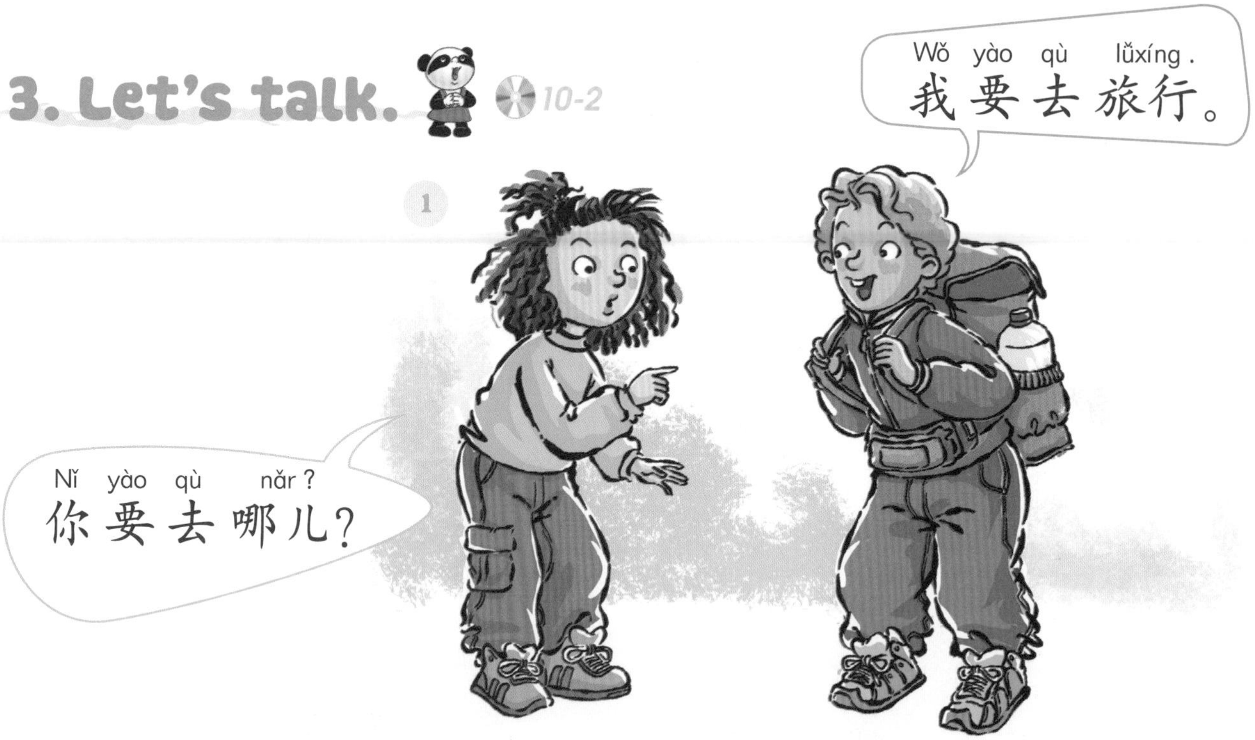
1
Nǐ yào qù nǎr?
你要去哪儿?
Wǒ yào qù lǚxíng.
我要去旅行。

2
Běijīng hé Xiānggǎng.
北京和香港。

3
Nǐ zěnme qù?
你怎么去?
Wǒ zuò huǒchē qù.
我坐火车去。

4. Do you know?

Tourist Cities in China

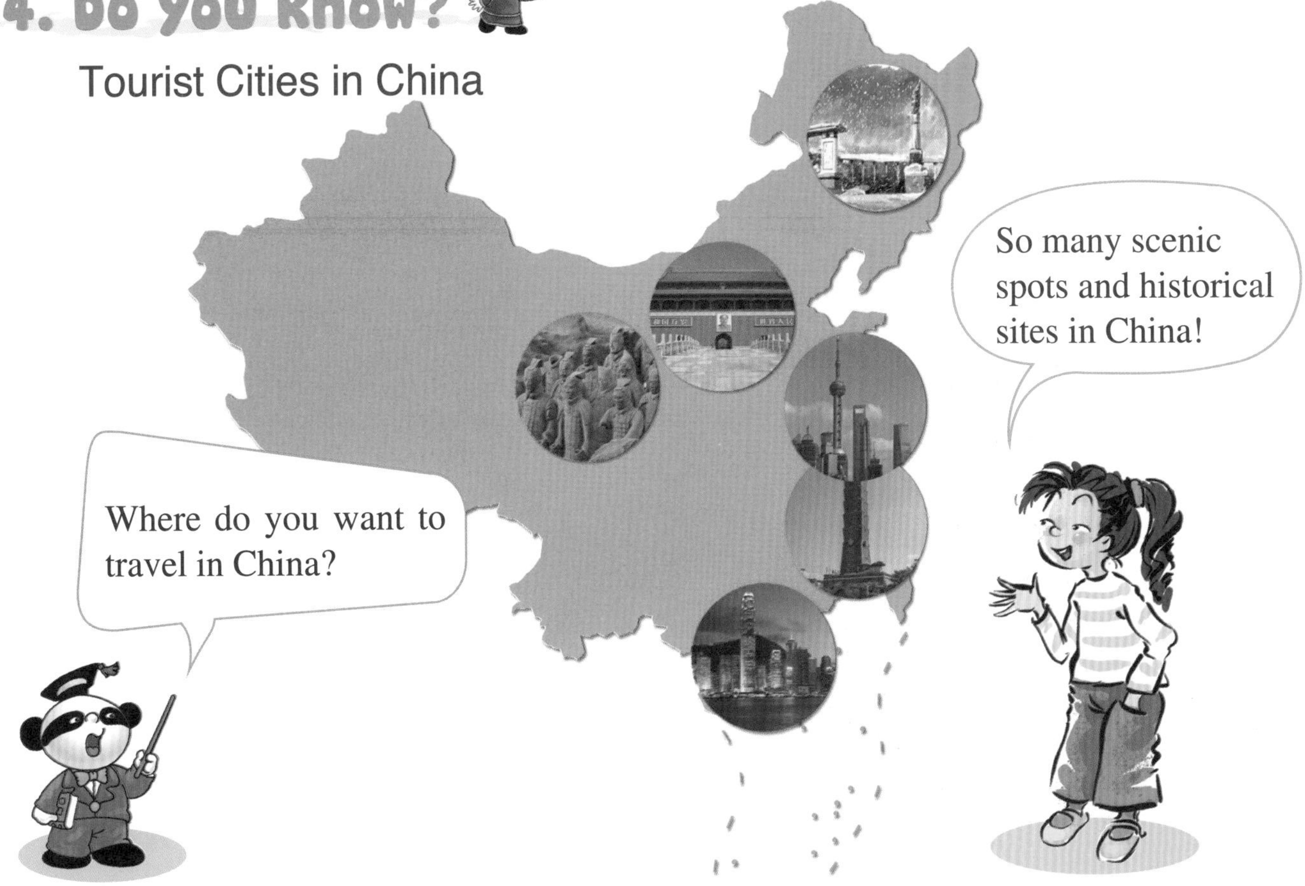

So many scenic spots and historical sites in China!
Where do you want to travel in China?

5. Learn to read. 10-3

An Ancient Poem

Dēng Guànquè Lóu
登 鹳雀 楼

Bái rì yī shān jìn,
白日依山尽，

Huáng Hé rù hǎi liú.
黄 河入海流。

Yù qióng qiān lǐ mù,
欲穷千里目，

gèng shàng yì céng lóu.
更 上一层楼。

On the Stork Tower

Along the mountains sink the last rays of sun,

Towards the sea the Yellow River does forward go.

If you would fain command a thousand miles in view,

To a higher storey you are expected to go.

6. Learn to write.

7. Let's do it.

Making a Paper Plane

1

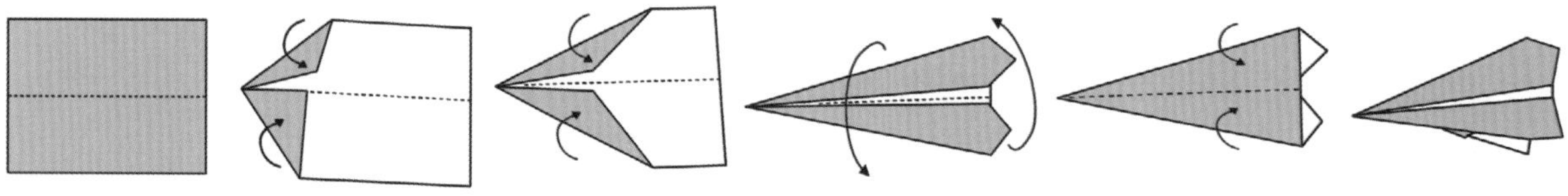

2

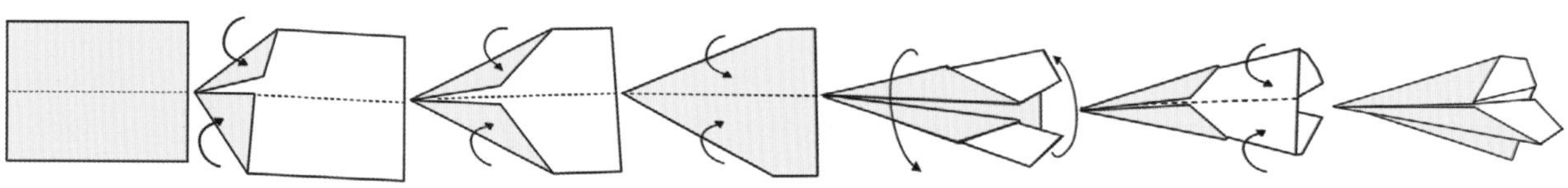

8. Story time.

10-4

Wǒmen qù gōngyuán le!
我们去公园了!
1
Qǐngwèn, gōngyuán zěnme zǒu?
请问，公园怎么走?
Wǎng zuǒ zǒu.
往左走。
2
Qǐngwèn, gōngyuán zěnme zǒu?
请问，公园怎么走?
Wǎng zuǒ zǒu.
往左走。
3
Wǒmen yě yào qù gōngyuán!
我们也要去公园!
4
Bié jí! Kàn, guā fēng le!
别急! 看，刮风了!
5
Wǒmen zuò fēijī qù gōngyuán!
我们坐飞机去公园!
6

1. What have you learned in this unit? Think about it. (You can use pinyin.)

The Most Useful Sentences:

The Most Important Words:

Else:

2. Draw the things you have learned about China in this unit.

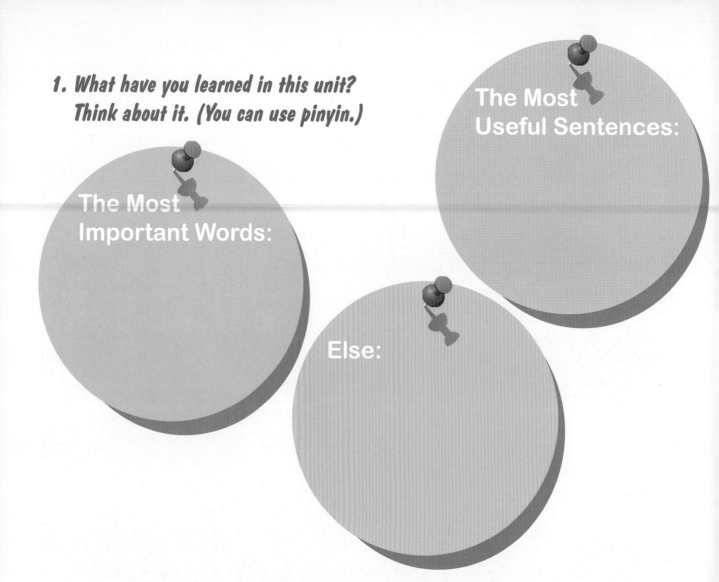

UNIT 6

BIRTHDAY AND FESTIVALS

Lesson 11

Shēngrì kuàilè
生日快乐

1. Can you say?

11-1

Shēngrì kuàilè!
生日快乐!
Jīntiān shì wǒ de shēngrì.
今天是我的生日。
Bāba sòng wǒ yí ge lǐwù.
爸爸送我一个礼物。

dàngāo 蛋糕 cake

bēizi 杯子 cup

shǒubiǎo 手表 watch

wánjù 玩具 toy

shēngrìkǎ 生日卡 birthday card

生日	shēngrì	birthday
快乐	kuàilè	happy
送	sòng	to give as a present
个	gè	*a measure word*
礼物	lǐwù	gift, present

2. Can you try?

3. Let's talk. 11-2

1

2

3

4. Do you know?

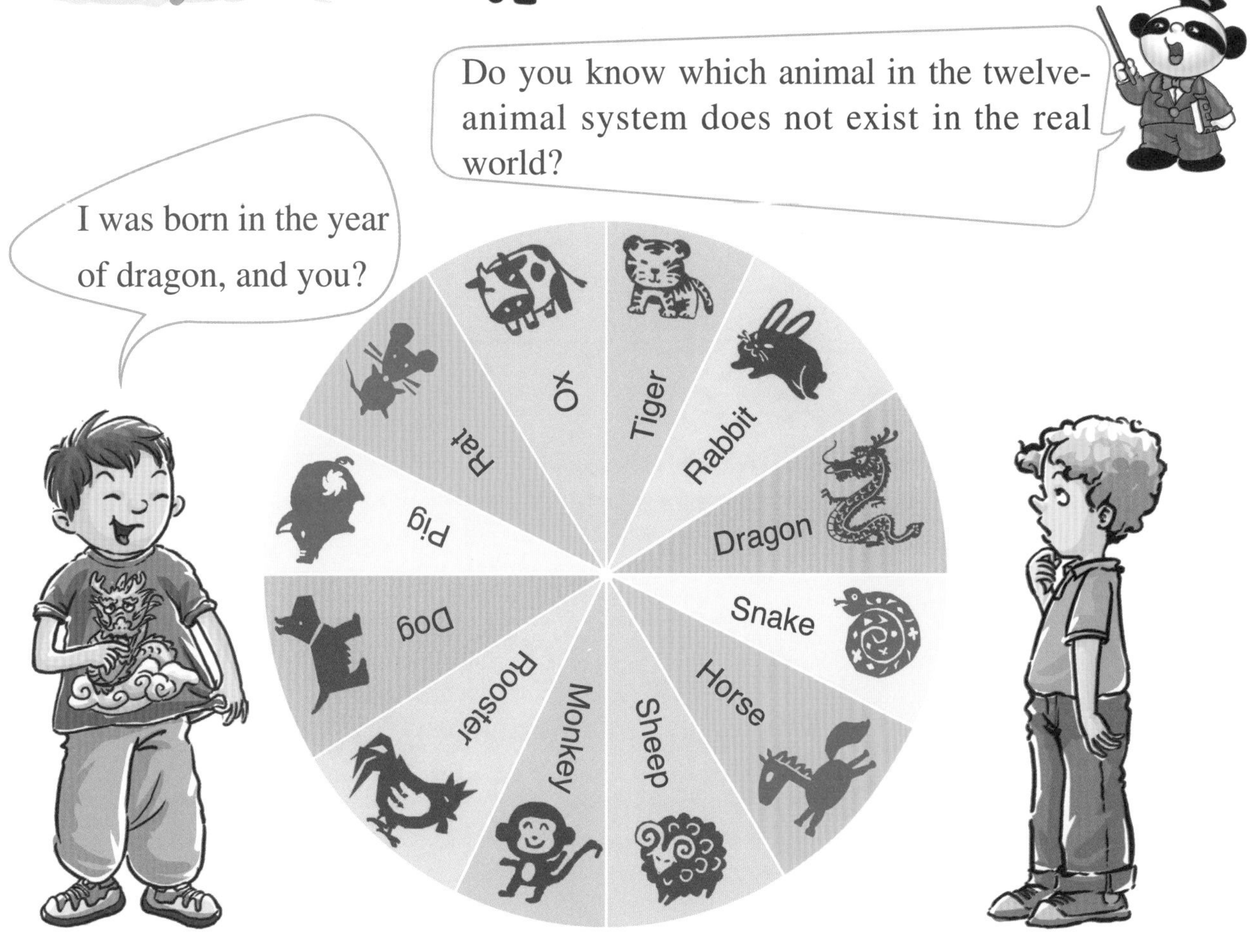
Do you know which animal in the twelve-animal system does not exist in the real world?
I was born in the year of dragon, and you?
Ox
Tiger
Rabbit
Dragon
Snake
Horse
Sheep
Monkey
Rooster
Dog
Pig
Rat

5. Learn to read. 11-3

A Riddle

Niánjì yí dà bǎ,
年纪一大把， Although it seems aged,

húzi yí dà bǎ,
胡子一大把， And has lots of whiskers,

búlùn yùjiàn shéi,
不论遇见谁， Whomever it meets,

zǒng shì hǎn māma.
总是喊妈妈。 It will call mummy.

6. Learn to write.

快　丶丶忄忄忄快快

乐　一乜牙牙乐

7. Let's do it.

Making a Birthday Cap

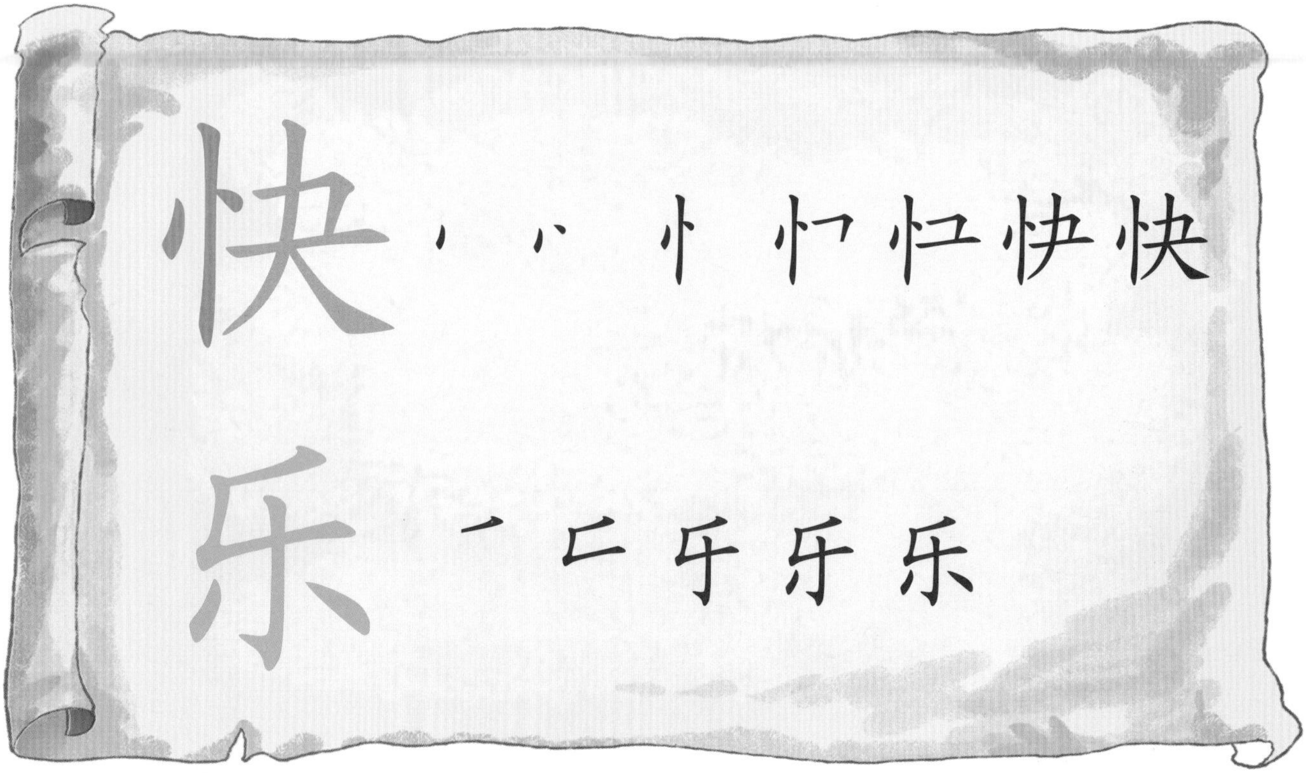

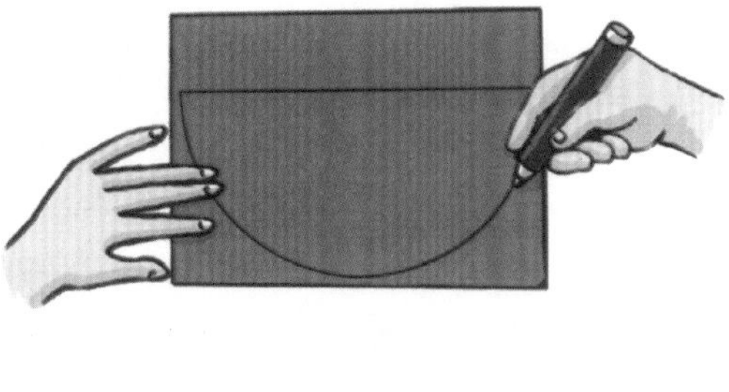

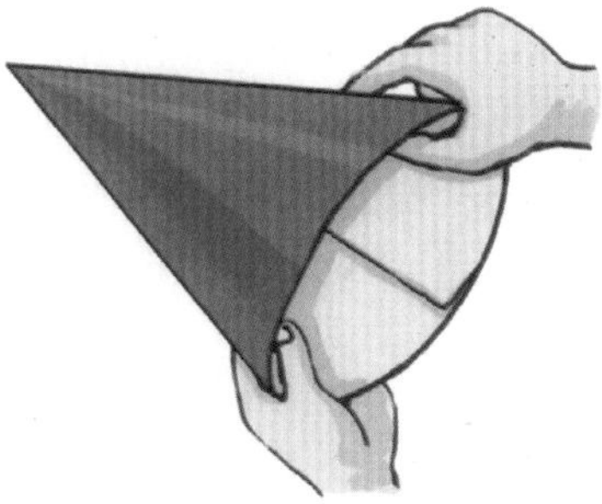

8. Let's sing.

11-4

Shēngrì gē

生日歌

Zhù nǐ shēng rì kuài
祝 你 生 日 快
lè, zhù nǐ shēng rì kuài
乐，祝 你 生 日 快
lè, zhù nǐ shēng rì kuài
乐，祝 你 生 日 快
lè, zhù nǐ shēng rì kuài
乐，祝 你 生 日 快
lè.
乐。

生日快乐

Lesson 12

Xīnnián kuài dào le

新年快到了

1. Can you say? 12-1

Xīnnián kuài dào le.
新年快到了。
Nǐ xiǎng zuò shénme?
你想做什么？
Wǒ xiǎng qù lǚxíng.
我想去旅行。

Chūnjié
春节
Spring Festival

kàn yéye hé nǎinai
看爷爷和奶奶
to visit grandpa and grandma

Shèngdànjié
圣诞节
Christmas

kàn péngyou
看朋友
to see a friend

新年	xīnnián	new year
快	kuài	soon
到	dào	to come, to arrive

2. Can you try?

Jīntiān jǐ yuè jǐ hào?
今天几月几号？
Shí'èryuè èrshíbā hào.
十二月二十八号。

Xīnnián kuài dào le.
新年快到了。
Nǐmen xiǎng zuò shénme?
你们想做什么？

3. Let's talk. 12-2

1
Chūnjié kuài dào le,
春节快到了，
nǐ xiǎng zuò shénme?
你想做什么？
Wǒ xiǎng qù lǚxíng.
我想去旅行。
2
Nǐ shénme shíhou qù?
你什么时候去？
Xīngqīliù qù.
星期六去。
3
Míngming xiǎng qù nǎr?
明明想去哪儿？
Tā xiǎng qù kàn péngyou.
他想去看朋友。

4. Do you know?

Do you know what special gift children will receive when they pay a New Year call to the elders on the Spring Festival?
What a lively Spring Festival it is!

5. Learn to read. 12-3

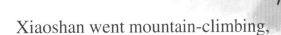

A Tongue Twister

Xiǎoshān qù dēng shān ,
小山 去 登 山 ， Xiaoshan went mountain-climbing,

shàng shān yòu xià shān .
上 山 又 下 山 。 He went uphill, and he went downhill.

Chūle yì shēn hàn ,
出了 一 身 汗 ， Working up a good sweat,

Shīle sān jiàn shān .
湿了 三 件 衫 。 He got three shirts wet.

6. Learn to write.

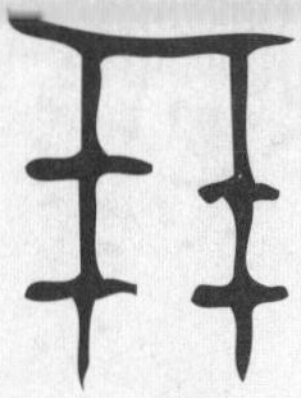 朋

丿 ⺆ 月 月 月丿 月⺆ 朋 朋

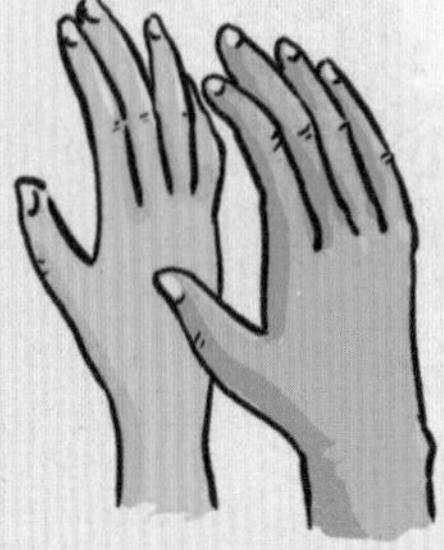

 友

一 ナ 方 友

7. Let's do it.

Making Hand-Torn Lanterns

1

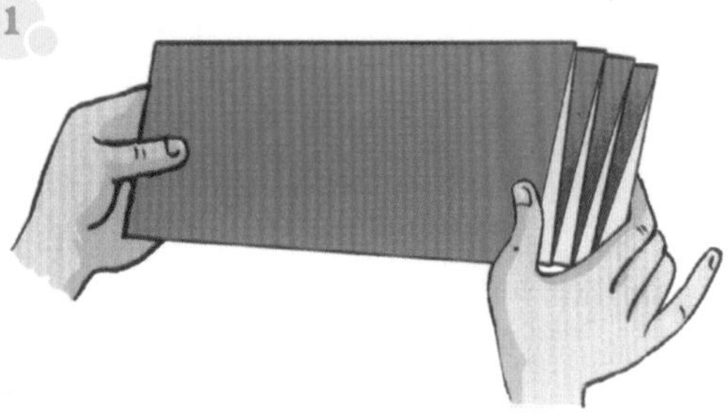

2

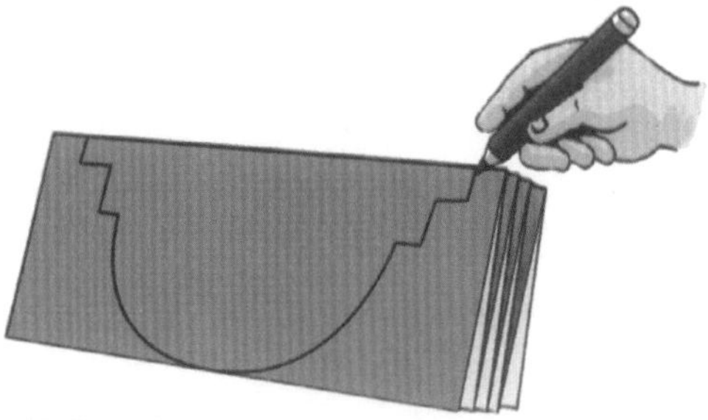

3

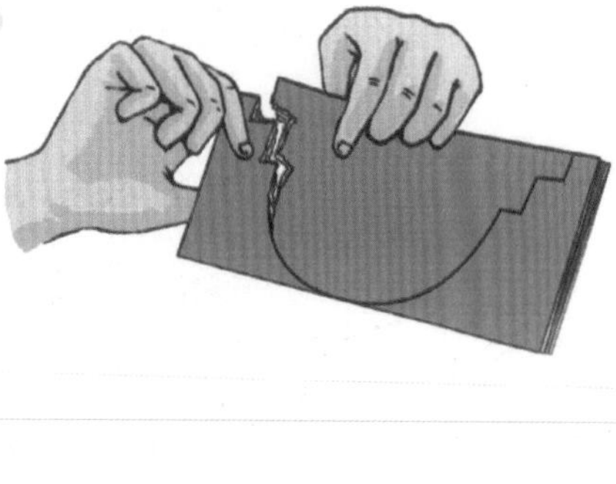

4

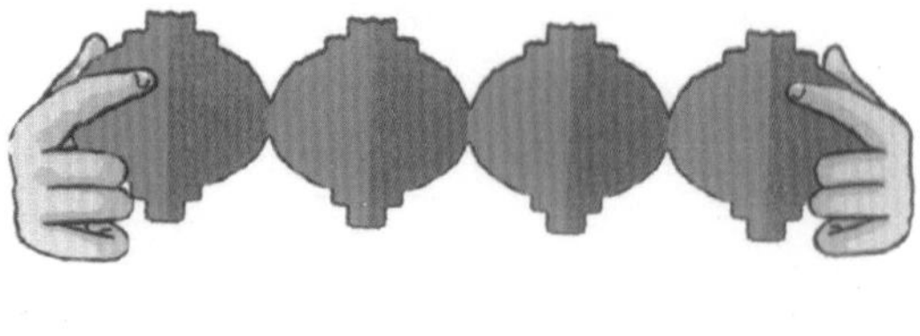

8. Story time.

12-4

Míngtiān shì wǒ de shēngrì.
明天是我的生日。
Lǐwù zhēn duō!
礼物真多！
Jīntiān bàba māma hěn máng,
今天爸爸妈妈很忙，
wǎnshang bù huí jiā chī fàn!
晚上不回家吃饭！
Jīntiān shì wǒ de shēngrì.
今天是我的生日。
Shēngrì kuàilè!
生日快乐！

1. What have you learned in this unit? Think about it. (You can use pinyin.)

The Most Useful Sentences:

The Most Important Words:

Else:

2. Draw the things you have learned about China in this unit.

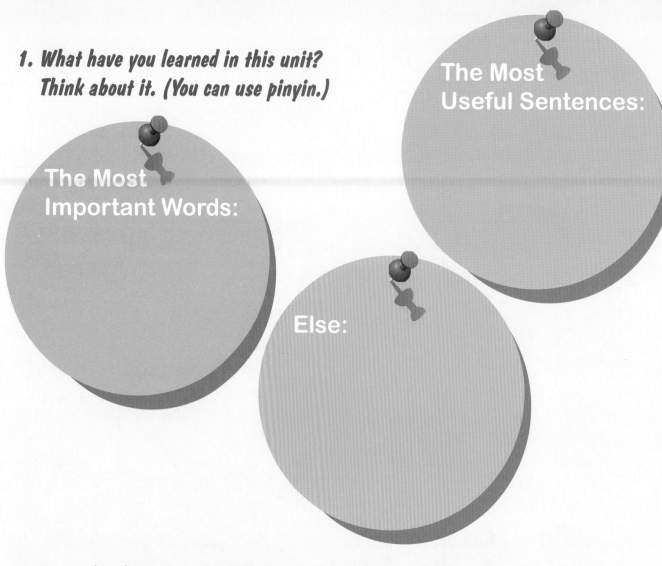

棒球	bàngqiú	3		斤	jīn	6
杯子	bēizi	11		看	kàn	12
冰淇淋	bīngqílín	5		看报纸	kàn bàozhǐ	8
饼干	bǐnggān	5		看电影	kàn diànyǐng	4
菠萝	bōluó	6		科学	kēxué	7
草莓	cǎoméi	6		课	kè	7
唱歌儿	chàng gēr	4		快	kuài	12
吃饭	chī fàn	8		快乐	kuàilè	11
春节	Chūnjié	12		篮球	lánqiú	3
春天	chūntiān	1		了	le	1
打	dǎ	3		冷	lěng	1
打电话	dǎ diànhuà	8		梨	lí	6
蛋糕	dàngāo	11		礼物	lǐwù	11
到	dào	12		历史	lìshǐ	7
地理	dìlǐ	7		凉快	liángkuai	1
冬天	dōngtiān	1		轮船	lúnchuán	10
多少	duōshao	6		旅行	lǚxíng	10
飞机	fēijī	10		买	mǎi	5
个	gè	11		没有	méiyǒu	7
刮风	guā fēng	2		奶奶	nǎinai	12
汉堡包	hànbǎobāo	5		呢	ne	4
汉语	Hànyǔ	7		暖和	nuǎnhuo	1
和	hé	5		朋友	péngyou	12
后	hòu	9		乒乓球	pīngpāngqiú	3
滑冰	huá bīng	3		苹果	píngguǒ	6
画画儿	huà huàr	4		骑	qí	10
会	huì	3		汽车	qìchē	10
火车	huǒchē	10		前	qián	9

钱	qián	6		西安	Xī'ān	10
巧克力	qiǎokèlì	5		西瓜	xīguā	6
晴天	qíngtiān	2		洗澡	xǐ zǎo	8
请问	qǐngwèn	9		下雪	xià xuě	2
秋天	qiūtiān	1		下雨	xià yǔ	2
热	rè	1		夏天	xiàtiān	1
三明治	sānmíngzhì	5		香港	Xiānggǎng	10
上海	Shànghǎi	10		香蕉	xiāngjiāo	6
上网	shàng wǎng	8		写作业	xiě zuòyè	8
生日	shēngrì	11		新年	xīnnián	12
生日卡	shēngrìkǎ	11		要	yào	5
圣诞节	Shèngdànjié	12		爷爷	yéye	12
手表	shǒubiǎo	11		阴天	yīntiān	2
书店	shūdiàn	9		英语	Yīngyǔ	7
薯片儿	shǔpiànr	5		游戏	yóuxì	4
数学	shùxué	7		游泳	yóu yǒng	3
睡觉	shuì jiào	8		右	yòu	9
送	sòng	11		元	yuán	6
台北	Táiběi	10		在	zài	8
糖	táng	5		怎么	zěnme	9
体育	tǐyù	7		怎么样	zěnmeyàng	2
天气	tiānqì	2		真	zhēn	1
跳舞	tiào wǔ	4		自行车	zìxíngchē	10
听音乐	tīng yīnyuè	4		走	zǒu	9
玩具	wánjù	11		左	zuǒ	9
往	wǎng	9		坐	zuò	10
网球	wǎngqiú	3		做	zuò	8

Lesson 1

Where Is the Spring

Where is the spring,
Where is the spring?
The spring is in the eyes of children.
These are red flowers and this is green grass.
There is also a singing oriole.
Li li li li li li li li li li li li,
Li li li li li li li li li li li li,
There is also a singing oriole,
There is also a singing oriole.

Lesson 3

The Doll Dances with the Little Bear

The doll dances with the little bear;
They dance and dance, yee yee oh.
The doll dances with the little bear;
They dance and dance, yee yee oh.
The doll dances with the little bear;
They dance and dance, yee yee oh.
The doll dances with the little bear;
They dance and dance, yee yee oh.

Lesson 5

Song of the Newsboy

La la la, la la la,
I'm an expert newsboy.
I got up early to sell newspapers.
One copy, two copies,
The news today is truly good.
With one copper coin,
You can buy two copies.

Lesson 7

Cows, Cows

Cows, cows, so many cows;
The cows are everywhere on the hillside.
They are eating the green grass;
They are listening to the pastoral song.

Lesson 9

Go Traveling

Stop at a red light,
And go at a green light.
Driving a car,
We go traveling.
By ship, by plane,
We go to Shanghai, we go to Beijing.
Going left and going right,
We find friends everywhere.
"Excuse me," "Thank you," "You're welcome."
We find friends everywhere.

Lesson 11

Birthday Song

Happy birthday to you,
Happy birthday to you,
Happy birthday to you,
Happy birthday to you.

Xiàtiān lái le.
夏天来了。

Jīntiān xià xuě le.
今天下雪了。

Běijīng de qiūtiān zhēn hǎokàn.
北京的秋天真好看。

Nǐ huì huá bīng ma?
你会滑冰吗？

Wǒ xǐhuan huà huàr, nǐ ne?
我喜欢画画儿，你呢？

Wǒ xǐhuan chàng gēr, Xiǎolóng ne?
我喜欢唱歌儿，小龙呢？

Nǐ yào mǎi shénme?
你要买什么？

Yì jīn xīguā duōshao qián?
一斤西瓜多少钱？

Wǒ yào mǎi bǐnggān hé táng.
我要买饼干和糖。

Wǒ bú huì yóu yǒng.
我不会游泳。

Jīntiān tiānqì zěnmeyàng?
今天天气怎么样？

Wǔ yuán.
五元。

REVIEW (Lessons 7-12)

Nǐ jīntiān yǒu shénme kè?
你今天有什么课?

Nǐ zài zuò shénme?
你在做什么?

Qǐngwèn, gōngyuán zěnme zǒu?
请问，公园怎么走?

Wǒ qí zìxíngchē qù xuéxiào.
我骑自行车去学校。

Tāmen zuò huǒchē qù lǚxíng.
他们坐火车去旅行。

Bàba sòng wǒ yí ge lǐwù.
爸爸送我一个礼物。

Xīnnián kuài dào le.
新年快到了。

Shēngrì kuàilè!
生日快乐!

Wǒ xiǎng qù kàn yéye hé nǎinai.
我想去看爷爷和奶奶。

Wǎng zuǒ zǒu.
往左走。

Tā zài xǐ zǎo.
他在洗澡。

Jīntiān xīngqīliù, méiyǒu kè.
今天星期六，没有课。

HELP!

1
1
1
1
1元

12月
30日

课程表
汉语 数学
数学 汉语
土耳其语 体育
音乐 土耳其语
数学 画画
体育 音乐